Mae'r llyfr
Teulu Miri

Seren a Harri a Gwen fach ni,

Teulu Miri, yn union fel chi!

Mae pob dydd yn hwyl a sbri

I Seren a Harri a Gwen fach ni!

Cyhoeddwyd gyntaf yn Saesneg yn 2012,
gan Walker Books Ltd.
dan y teitl *The Buttons Family New Shoes*.
Cyhoeddwyd yn Gymraeg yn 2012 gan Wasg y Dref Wen Cyf
28 Heol yr Eglwys, Yr Eglwys Newydd, Caerdydd CF14 2EA
Mae'r cyhoeddwr yn cydnabod cefnogaeth ariannol
Cyngor Llyfrau Cymru.
Argraffwyd yn China.

Teulu Miri
Esgidiau Newydd

Vivian French

lluniau gan
Sue Heap

trosiad gan
Elin Meek

DREF WEN

"Mae bysedd fy nhraed i'n brifo," meddai Harri.

"O ... Angen esgidiau newydd sy arnat ti, siŵr o fod," meddai Mam.

“Mae bysedd fy nhraed
innau’n brifo hefyd,”
meddai Seren.
“Byse bifo!” meddai
Gwen fach.

Ochneidiodd Mam.
“Mae angen esgidiau
newydd arnoch chi
I GYD. Mae’n well
i ni fynd i siopa.”

"Hwrê!" gwaeddodd Seren.
"Wê!" gwaeddodd Gwen fach.

"Dwi ddim eisiau esgidiau newydd,"
meddai Harri.

"Mae esgidiau newydd
yn **HYFRYD**,"
meddai Mam wrtho.

Ar ôl cyrraedd y siop esgidiau, aeth Seren a Gwen fach i mewn, ond arhosodd Harri'r tu allan.

"Dwi ddim eisiau esgidiau newydd," meddai.

Gwenodd Mam.
"Beth am
ddod i mewn i
weld?"
"O'r gorau,"
meddai
Harri. "Ond
dwi ddim yn
mynd i roi
dim byd am
fy nhraed."

Dewisodd Seren esgidiau **coch** sgleiniog.

Dewisodd Gwen fach fŵts
melyn llachar.

"Dwi ddim eisiau esgidiau newydd,"
meddai Harri wrth fenyw'r siop.

"Nag wyt?" meddai. "Ond beth am fysedd dy draed? Wyt ti wedi gofyn iddyn nhw beth maen NHW ei eisiau?"

Edrychodd Harri ar ei draed.
"Dyw bysedd fy nhraed i ddim yn gallu siarad."
"Ond dwi'n gallu eu clywed nhw," meddai menyw'r siop.

“Maen nhw’n dweud, ‘Aw! Ry’n ni’n cael ein gwasgu! Dy’n ni ddim yn gallu tyfu’n syth.’”

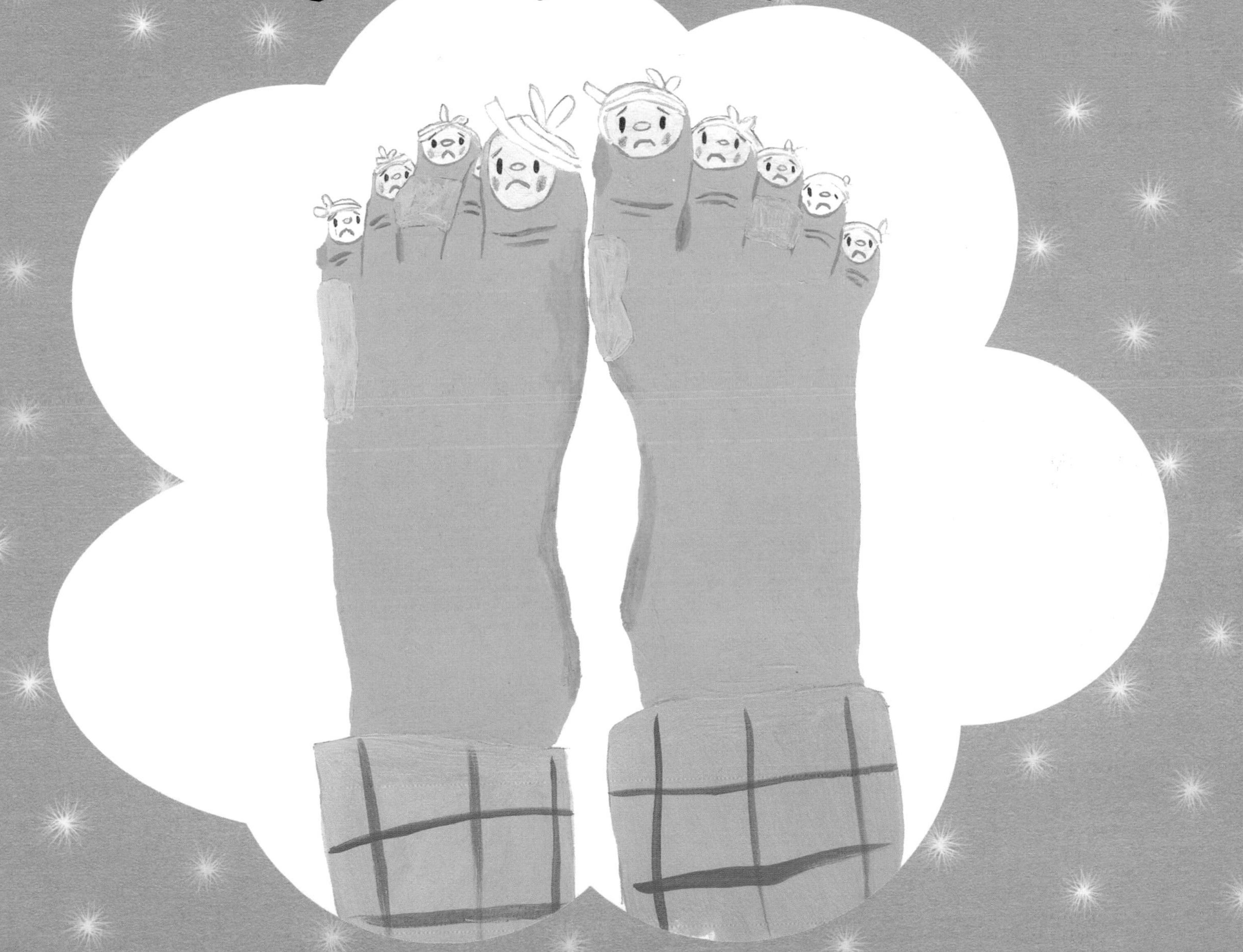

Tynnodd Harri ei esgidiau.
"Beth maen nhw'n ei ddweud nawr?"

“Maen nhw’n dweud, ‘GWYCH, dyna welliant! Mae digon o le i ni nawr!’”

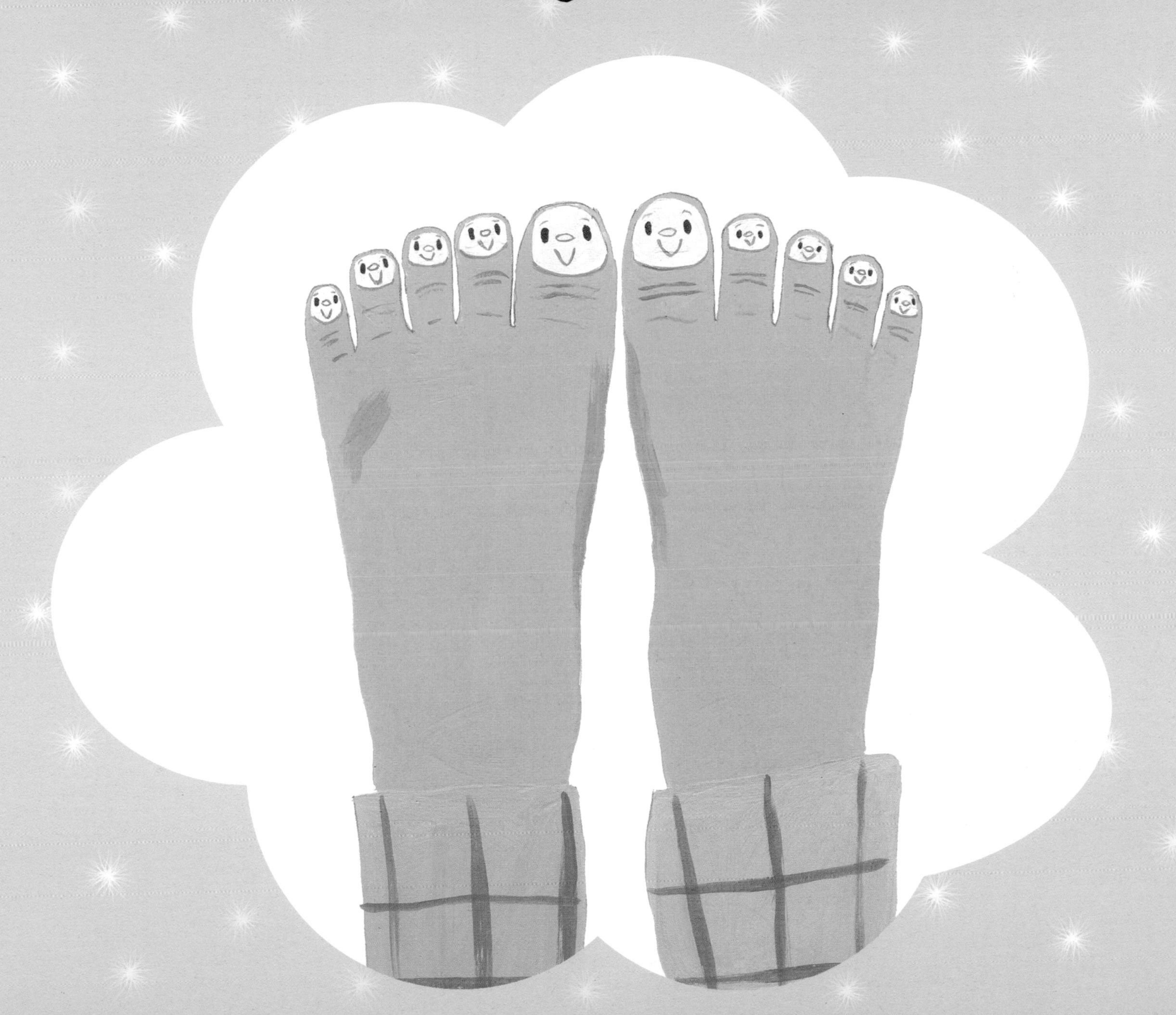

“O.” Symudodd Harri
fysedd ei draed.

"Beth sy'n digwydd os yw bysedd traed yn cael eu gwasgu?"
"Maen nhw'n tyfu'n gam, ac maen nhw'n brifo," meddai menyw'r siop.
"Ac mae lympiau a phothelli'n gallu tyfu arnyn nhw. Wyt ti'n meddwl y byddai bysedd dy draed yn hoffi cael rhagor o le?"
Nodiodd Harri.

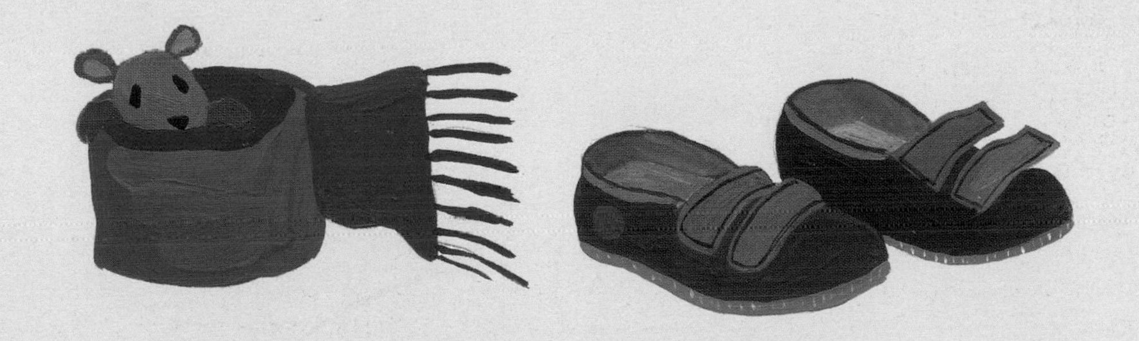

Gwisgodd Harri esgidiau sgleiniog ...

esgidiau lasys ...

treinyrs coch ...

treinyrs gwyrdd ...

bŵts ...

a threinyrs rhedeg.

“Bobol bach,” meddai Mam,
“mae’n hen bryd i ni fynd!
Harri, dewisa, wnei di!”
Roedd golwg drist
ar Harri. “Dwi’n
aros i fysedd
fy nhraed ddweud
pa rai maen
nhw’n eu
hoffi orau.”

Chwarddodd menyw'r siop. "Maen nhw'n dweud wrthot ti am ddewis."

"Dwi'n hoffi'r rhain." codododd Harri'r treinyrs rhedeg.

"Dewis da," meddai menyw'r siop. "Fe fydd bysedd dy draed yn hapus iawn yn y rheina."

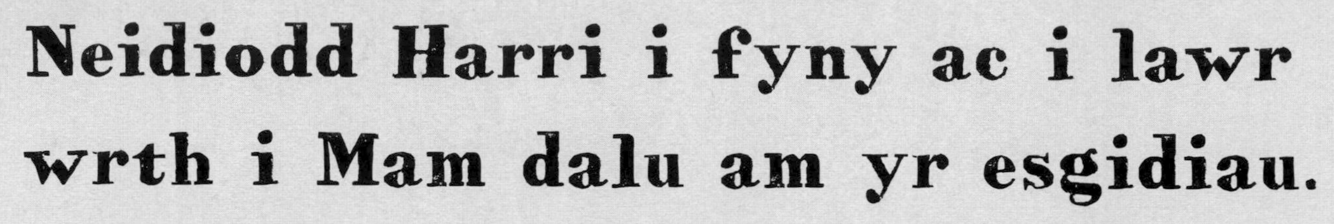

Neidiodd Harri i fyny ac i lawr wrth i Mam dalu am yr esgidiau. Yna, dyma Seren, Harri a Gwen fach yn neidio ...

BOB CAM ...

... adref.

“Dyna ni!” meddai Mam. “Doedd hynny ddim yn ddrwg, nag oedd?”

"Dwi'n dwlu ar fy esgidiau," meddai Seren.
"Dwlu sgidiau," meddai Gwen fach.
"A dwi newydd glywed bysedd fy nhraed yn siarad," meddai Harri.
"Maen nhw eisiau mynd i siopa am esgidiau eto yfory!"